DEC 2015

D1486800

· Mon île ·

L'île De COSMO LE DODO

Textes de
Joannie Beaudet

Illustrations de
Jean-François Hains

La potion magique

ÉDITIONS origo

Données de catalogage avant publication (Canada)

Les Éditions Origo
L'île de Cosmo
D'après une idée originale de Pat Rac

La potion magique
ISBN 13 : 978-2-923499-55-0

Collaboration éditoriale : Pat Rac, Neijib Bentaieb
Vérification des textes : Audrée Favreau-Pinet
Directeur littéraire : François Perras
Capital de risque : Technologies HumanID

Dépôt légal :
Bibliothèque nationale du Québec, 2014
Bibliothèque nationale du Canada, 2014

Les Éditions Origo, 2014 © Tous droits réservés
Boîte postale 4, Chambly (Québec) J3L 4B1, Canada
Tél. : 450 658-2732 • info@editionsorigo.com

Imprimé au Canada
Gouvernement du Québec – Programme de crédit d'impôt
pour l'édition de livres – Gestion SODEC

Cosmo le dodo est une marque de commerce de Racine & Associés inc.

CHATHAM-KENT PUBLIC LIBRARY

Un matin, Cosmo se réveille en sursaut.

Le dodo découvre une petite créature en larmes.

Ouin!
Ouin! Ouin!

– Qui es-tu? demande Cosmo.

– Je suis Grison, le plus nul des caméléons.

– Pourquoi dis-tu ça?

– Je suis incapable de changer de couleur.

– Ça ne veut pas dire que tu es nul, dit Cosmo, d'une voix réconfortante. Un peu d'entraînement et tu y arriveras.

Grison secoue la tête.

– Ça ne sert à rien! crie Grison. Je suis un bon à rien.

Grison est malheureux. Cosmo réfléchit :
comment peut-il aider le caméléon?

Tout à coup, Cosmo a une idée. Il dit :
– Pour changer de couleur, il te faut
une potion magique!

– Une **potion magique?**
répète Grison, avec intérêt.

– Voici des insectes à capturer pour la potion, murmure Cosmo. À ta vue, les insectes fuiront. Seras-tu assez habile avec ta langue pour les attraper?

– Oui! répond Grison, avec confiance.

Grison bondit devant les insectes.

Zoup! Zoup! Zoup!

Rapidement, le pot déborde d'insectes.
Cosmo ferme le couvercle.

– Voici le fruit juteux à récolter pour la potion. Seras-tu assez agile avec tes pattes pour grimper jusqu'en haut?

– Oui! répond Grison, avec confiance.

Grison grimpe sur le tronc.

Scrach!
Scrach!
Scrach!

Le caméléon attrape
le fruit et le lance à Cosmo.

15

– Voici la fleur à cueillir pour la potion.
Auras-tu assez d'équilibre avec ta queue
pour marcher sur la liane et ne pas
tomber dans l'eau?

– **Oui!** répond Grison, avec confiance.

En équilibre sur la liane, Grison avance lentement.

Booong!
Booong! Booong!

Le caméléon cueille la fleur
et retourne vers Cosmo.

– Que faisons-nous avec tous les ingrédients?
demande Grison, surexcité.
– Rien, répond Cosmo.
– Tu ne fais pas la potion magique?
– Non! Tu n'en as pas besoin, explique Cosmo.

Grison baisse la tête.
– Je resterai à jamais Grison,
le plus nul des caméléons.

– Correction : tu es Grison, le champion
des caméléons! Pense à tous les défis que
tu as réalisés aujourd'hui!

Grison réfléchit.
– Tu as raison, Cosmo! Je suis un caméléon
champion, affirme Grison.

À ces mots, Grison devient rouge,
bleu, rose, mauve, vert...

– Je... je... change de couleur! dit Grison.
– Tu as trouvé le seul ingrédient
nécessaire pour régler ton problème :
la confiance!

Fin!

Questions

1. Qu'est-ce que Grison était incapable de faire au début de l'histoire?

2. Quels sont les trois ingrédients que Cosmo a demandé à Grison de rassembler pour faire la potion magique?

3. Finalement, qu'est-ce que Grison a découvert?